Moja bajeczka

Tytuł oryginału: *Sofia the First*

Tłumaczenie: Małgorzata Fabianowska
Wydawnictwo Egmont Polska Sp. z o.o.
ul. Dzielna 60, 01-029 Warszawa
tel. 22 838 41 00
www.egmont.pl/ksiazki
ISBN 978-83-237-7181-4
Koordynacja produkcji: Aleksandra Dobrosławska
Łamanie: GJ-studio Grażyna Janecka
Druk: Vilpol

EGMONT

Dawno temu w królestwie Czarlandii mieszkała mała dziewczynka imieniem Zosia. Ona i jej matka, Miranda, pracowały w sklepiku z obuwiem i żyły skromnie, ale były szczęśliwe.

Pewnego dnia wezwano je na zamek, ponieważ król Roland II potrzebował nowych kapci.

Gdy Miranda wsunęła kapeć na królewską stopę, Roland II popatrzył na nią, ona popatrzyła na niego i nagle... zakochali się w sobie!

Wkrótce odbył się ślub, a potem Zosia i jej matka pojechały na zamek, by rozpocząć nowe życie.

Król Roland II i jego dzieci, Amber i Janek, już czekali, aby powitać Zosię i Mirandę.

– Cześć wam! – zawołała Zosia do nowego rodzeństwa, po czym zwróciła się do Amber: – Strasznie się cieszę, że będziemy siostrami!

– Przybranymi siostrami – poprawiła ją Amber, która zaczynała być zazdrosna o nową księżniczkę.

Gdy podano kolację, obok talerza Zosi leżało sześć widelców. Którego miała użyć? Nagle uświadomiła sobie, że ona nic nie wie o byciu księżniczką.

– Wyprawimy bal na twoją cześć – oznajmił król Roland II. – I zatańczysz ze mną pierwszego walca.

– Będę musiała tańczyć?! – spytała z przerażeniem Zosia.

Roland II miał także dla Zosi miłą niespodziankę. Po kolacji wręczył jej powitalny prezent.

– To wyjątkowy amulet – powiedział. – A teraz zmykaj do łóżka. Jutro rano idziesz do szkoły dla księżniczek.

Zosi spodobał się ten pomysł. Może do dnia balu nauczy się zachowywać jak prawdziwa księżniczka!

Biegnąc korytarzem do swojej komnaty, Zosia spotkała Cedryka, nadwornego czarnoksiężnika. Na widok amuletu jego oczy rozbłysły pożądliwie. Był to bowiem Amulet Avaloru, potężny talizman, o którego posiadaniu Cedryk marzył od lat. Mając go, mógłby przejąć władzę w królestwie!

Nazajutrz w szkole inne dzieci od razu polubiły Zosię, co rozzłościło Amber. Namówiła Janka, aby zaprowadził przybraną siostrę na magiczną huśtawkę.

Najpierw huśtawka bujała się łagodnie, ale potem zaczęła unosić się coraz wyżej.

– Ratunku! – pisnęła Zosia.

Huśtawka wyrzuciła ją w powietrze i dziewczynka wylądowała w fontannie!

Zaraz po powrocie do zamku Janek przeprosił Zosię i nauczył ją książęcych ukłonów.

– A co do tańca, nic się nie martw – powiedział. – Nasz profesor zrobi z ciebie baletnicę!

Amber słyszała tę rozmowę i przed lekcją wręczyła Zosi parę zaczarowanych pantofelków.

Zosia zaczęła tańczyć walca z profesorem i już po chwili pantofelki przewróciły ją na podłogę!

Zosia postanowiła poprosić o pomoc Cedryka.

– Czy zna pan zaklęcie, które sprawi, że będę dobrze tańczyć? – spytała.

– O tak! – odrzekł chytrze czarnoksiężnik i napisał na karteczce trzy magiczne słowa.

„Kiedy smarkula je wypowie – pomyślał – cały dwór zapadnie w sen. A wtedy odbiorę jej amulet!”.

Rozpoczął się bal i król Roland II poprowadził Zosię na środek sali. Dziewczynka odczytała zaklęcie:

– *Somnibus poluli kalla.*

Ku jej zaskoczeniu wszyscy, łącznie z Cedrykiem, zasnęli!

– Co ja zrobiłam?! – zawołała Zosia i rozpłakała się.

Gdy jej łza spadła na amulet, klejnot nagle rozbłysnął...

...i przed Zosią stanął Kopciuszek! Sprowadził go amulet, który łączy wszystkie księżniczki.

Kopciuszek nie potrafił zdjąć czaru z uśpionych gości, ale miał dla Zosi radę, by traktowała Amber jak prawdziwą siostrę.

– Była dla mnie taka niedobra! – zaprotestowała z oburzeniem Zosia.

– Daj jej drugą szansę – odrzekł Kopciuszek i zniknął.

Amber nie poszła na bal, bo rozdarła sobie sukienkę. Wolna od czaru, siedziała przygnębiona w komnacie.

– Czego tu chcesz? – burknęła na widok Zosi.

Zosia zaprowadziła ją na uśpioną salę balową.

– To wszystko moja wina – powiedziała Amber.

– Wybaczam ci – odrzekła Zosia. – I nadal się cieszę, że jesteśmy przybranymi siostrami.

– Prawdziwymi siostrami – poprawiła ją Amber i dziewczynki padły sobie w objęcia.

Musiały jednak wymyślić jakiś sposób, aby obudzić dwór.

– Jestem pewna, że znajdziemy antyzaklęcie w księgach Cedryka – powiedziała Amber.

Pracowni czarnoksiężnika pilnował kruk Robal, ale Amber jednym uderzeniem szczotki posłała go do klatki.

Zosia szybko chwyciła księgę zaklęć i siostry wybiegły z pracowni.

Ale Amber miała wciąż podartą sukienkę.

– Nie mogę tak się pokazać na balu! – jęknęła.

– Nie martw się – odparła Zosia.

Wyciągnęła igłę z nitką i fachowo zszyła rozdarcie.

– Teraz ja pomogę tobie – powiedziała Amber.

I raz, dwa, trzy, raz, dwa, trzy, nauczyła siostrę tanecznych kroków.

Zosia zajęła miejsce obok uśpionego króla i odczytała antyzaklęcie:

– *Populi senna eksitate*!

Ku jej ogromnej uldze wszyscy natychmiast się obudzili.

Tańcząc z królem pierwszego walca, Zosia spytała:

– Dlaczego nazywają cię Rolandem II?

Król wyjaśnił, że jego ojciec, poprzedni władca, także miał na imię Roland.

– To chyba znaczy, że ja jestem Zosią I – stwierdziła rezolutnie dziewczynka.

Zakreśl na czerwono swoje ulubione bajki.
Czy znasz już wszystkie?